MW00611955

Recursos adicionales GRATIS

www.questionsaboutme.es/historia

ACCEDE A LA BIBLIOTECA IMPRIMIBLE GRATUITA PARA:

Árbol genealógico editable

Reemplazo y preguntas adicionales (breves y detalladas)

Páginas a rayas para responder preguntas e insertar en el libro

Dale me gusta a nuestra página de Facebook

@QuestionsAboutMe

Síguenos en Instagram

@QuestionsAboutMe_Official

Preguntas y Servicio al Cliente

hello@questionsaboutme.com

Cuéntame la historia de tu vida, abuela
de Questions About Me™

www.questionsaboutme.es

© 2023 Questions About Me™
Titulo Original: Tell Me Your Life Story, Grandma by Questions About Me™
© 2021 Questions About Me™

Reservados todos los derechos. Este libro o partes del mismo no pueden reproducirse de ninguna forma, almacenarse en ningún sistema de recuperación ni transmitirse de ninguna forma por ningún medio (electrónico, mecánico, fotocopia, grabación u otro) sin el permiso previo por escrito del editor, excepto según lo dispuesto por la ley de derechos de autor de los Estados Unidos de América. Para permisos contactar con: hello@questionsaboutme.com

No permitida la reventa. Todos los libros, productos digitales, libros electrónicos y descargas de PDFs están sujetos a protección de derechos de autor. Todas las descargas de libros, libros electrónicos y PDFs tienen licencia para un único usuario. Los clientes no pueden copiar, distribuir, compartir y/o transferir el producto que han comprado a ningún tercero.

tabla de contenido

introducción

Este diario fue creado para vosotras- abuelas de todo tipo, tanto biológicas como no biológicas, para capturar los momentos que han dado forma a vuestra vida.

Nuestro legado y sabiduría solo pueden ser atesorados por las generaciones futuras si nos tomamos el tiempo para compartir nuestras historias de vida.

"Cuéntame la historia de tu vida, abuela" sirve de herramienta para ayudarte a escribir lo que piensas, tus historias y reflexiones, convirtiendo este diario guiado en un tesoro inestimable para compartir con tus hijos, seres queridos y generaciones futuras.

Las indicaciones atractivas y estimulantes simplifican el registro de todo, desde recuerdos de tu infancia y lecciones de la vida hasta tus esperanzas para el futuro.

Una vez completado, este libro ayudará a tus hijos y a las generaciones futuras a comprender mejor los orígenes de tu familia.

Sin embargo, lo más valioso es que este diario contará la historia de tu vida. Tu familia aprenderá más sobre ti y te ayudará a conectarte con ellos de una manera significativa. Este recuerdo atemporal también es tu oportunidad de inspirar a la próxima generación y a generaciones venideras con tus experiencias, logros y lecciones de vida.

cómo aprovechar al máximo este diario

Simplemente recuerda que no hay reglas estrictas para usar o completar este diario guiado.

El formato de este libro es flexible y las preguntas se pueden abordar de cualquier manera. Comienza desde donde desees y completa tus respuestas en cualquier orden. Puedes saltar y responder preguntas, o puedes comenzar desde el principio y trabajar en ellas en orden.

No hay una forma correcta o incorrecta de responder a las preguntas. Puedes optar por no responder a algunas preguntas, y algunas preguntas simplemente no serán aplicables para ti. Siéntete libre de utilizar las preguntas adicionales disponibles en nuestro sitio web en lugar de estas preguntas.

Trata de no pensar demasiado o contenerte al responder las preguntas; en vez de eso, escribe libremente y registra todo lo que te venga a la mente y al corazón. Siempre que sea posible, trata de ser honesta, reflexiva y detallada en las respuestas que des a todas las preguntas. No hay necesidad de ser formal o preocuparse por estructurar tu respuesta a la perfección. Las mejores respuestas son las que no están editadas y vienen directamente del corazón.

Tómate tu tiempo para responder las preguntas. Como hay muchas preguntas, es posible que desees completar el libro en varias sesiones, tal vez dedicando algo de tiempo día a día durante un período de semanas o meses para completarlas.

Incluso puede resultarte divertido que un miembro de la familia te ayude a preparar una cámara de video o un equipo de grabación de audio, y que te haga las preguntas en voz alta y luego grabéis las respuestas.

Si necesitas espacio adicional para responder a una pregunta, puedes utilizar las páginas de notas adicionales al final de cada sección. También puedes usar las páginas de notas para responder las preguntas de reemplazo o adicionales de nuestro sitio web o usarlas como un espacio para incluir algunas fotos memorables.

¡No seas dura contigo misma y disfruta el proceso!

SUGERENCIA

Sé específica donde puedas. Los detalles precisos ayudan a que tu historia cobre vida. Utiliza tanto nombres como apellidos siempre que sea posible. Además, trata de obtener la mayor cantidad posible de fechas, ubicaciones y direcciones exactas, así como nombres de marcas, etc. Trata de escribir "...Mercedes Benz plateado de 1960" en lugar de "...coche de papá" y "...tulipanes rosas" en lugar de "...flores". Intenta usar "...en el parque en la ciudad de..." en lugar de simplemente "... en el parque" para pintar una imagen clara con tus palabras.

•••

mis detalles y cápsula del tiempo

mis detalles

NOMBRE COMPLETO	
FECHA DE NACIMIENTO	
LUGAR DE NACIMIENTO	COLOR DE LOS OJOS
ALTURA	COLOR DE PELO
MARCAS DISTINTIVAS	

PEGA TU FOTO DE BEBÉ AQUÍ

cápsula del tiempo

FECHA DE HOY	
POBLACIÓN DE TU CIUDAD	POBLACIÓN DE TU PAÍS
LÍDER DE TU PAÍS	POBLACIÓN DEL MUNDO

EL PRECIO DE...

BOTELLA DE LECHE	REVISTA
TAZA DE CAFÉ	LIBRO
BARRA DE PAN	TASA DE INTERÉS HIPOTECARIO
LITRO DE GASOLINA	SALARIO PROMEDIO SEMANAL
SELLO DE CORREOS	RENTA MENSUAL/ PAGO DE HIPOTECA
PERIÓDICO	PRECIO PROMEDIO DE LA VIVIENDA

RECORTA Y COLOCA UN TEMA DEL PERIÓDICO DE HOY

primeros años

¿Te pusieron el nombre de alguien?

¿Te gusta o no te gusta tu nombre? ¿Por qué?

Si pudieras elegir otro nombre, ¿cuál sería?

¿Qué edad tenían tus padres cuándo naciste?

¿Hay alguna historia que te hayan contado sobre cuándo naciste?

¿Eras un bebé saludable o hubo problemas de salud?

¿Cuáles son algunas de las historias que tus padres han compartido contigo sobre cuando eras un bebé?

¿Cuál es tu primer recuerdo?

¿Qué diferencias (o similitudes) hubo en la forma en que te cuidaron a ti cuando eras un bebé, en comparación con la forma en que fueron cuidados tus propios padres?

¿Qué sabes de la casa en la que vivías cuando eras un bebé? ¿Cuánto tiempo viviste allí?

Describe un carácter o rasgo de personalidad que hayas heredado de cada uno de tus padres (o de cualquiera de ellos). Asegúrate de indicar qué padre para cada rasgo.

notas

notas

infancia

¿Tenías juguetes especiales u objetos que fueran preciosos para ti? ¿Cuál es la historia de cómo los conseguiste?

¿A qué tipo de juegos te gustaba jugar con tus amigos, hermanos o sola?

¿Qué miedos de la infancia recuerdas haber tenido? Por ejemplo, ¿pensabas que había monstruos debajo de la cama o tenías miedo de pisar las grietas?

¿Cuáles son algunos olores, sonidos o sabores nostálgicos que te devuelven a la infancia?

Describe los lugares donde pasabas la mayor parte de tu tiempo libre cuando eras pequeña. ¿Tu cuarto? ¿Tu patio trasero? ¿La casa de un amigo?

¿Tenías tu propia habitación mientras crecías?

¿Qué te gustó o no te gustó del área o áreas en las que viviste mientras crecías?

¿Cómo eran las comidas mientras crecías? ¿Había una rutina estricta?

Describe la cocina de tu infancia: los olores, los sabores, los sonidos, las texturas y los colores.

¿Hubo algún alimento que no te gustaba cuando eras niña y todavía te desagrade hoy en día?

¿Tenías tareas regulares que hacer en casa y cómo te sentías al respecto cuándo eras pequeña?

Aparte de tus padres, ¿hubo otros adultos que fuesen modelo a seguir en tu infancia? ¿Qué los hizo importantes para ti?

¿Cuál es una actividad que solías hacer con tus padres? Indica si fue algo que hiciste con uno de ellos o con ambos, y describe un recuerdo de disfrutar esa actividad juntos.

¿Te sentías conectada con ambos padres creciendo, o uno más que el otro? ¿Por qué o por qué no?

¿Tu familia tuvo algún problema que tuviese que ser superado?
¿Intentaron protegerte de ellos o jugaste un papel activo para ayudar?

¿Te daban una paga? Si es así, ¿puedes recordar
cuánto era? ¿En qué la gastabas?

¿Tenías suficiente dinero mientras crecías?

Describe las mayores influencias en tu vida durante tus años escolares. ¿De qué manera te influyeron (buena o mala)?

¿Qué fue lo que más te gustó o disgustó de la escuela primaria?

¿Qué materia te gustaría que se enseñara en la escuela?

¿Cuáles eran tus materias favoritas en la escuela?

¿Hacías deporte o tocabas algún instrumento? ¿Participabas en alguna actividad escolar extracurricular?

¿Puedes recordar algunos de los comentarios de profesores en tus notas acerca de tu comportamiento o habilidad académica? ¿Cuál era tu opinión sobre estos comentarios?

Describe un recuerdo o recuerdos destacados
de tus años de escuela secundaria.

Describe un logro del que estés orgullosa durante tu infancia o adolescencia.

¿Qué es lo que más recuerdas del verano y de otros momentos en los que no ibas a la escuela cuando eras niña?

¿Tenías un mejor amigo o un grupo cercano de amigos? ¿Todavía te mantienes en contacto con alguno de tus amigos de la escuela hoy?

¿Tenías amigos que no les gustasen a tus padres? ¿Qué causó su desaprobación?

¿Cómo te disciplinaban cuando hacías algo que molestaba a tus padres? ¿Qué hacías cuando te metías en problemas?

¿Ibais de vacaciones en familia? Si es así, ¿qué recuerdos tienes de ellas?

¿Qué fechas especiales celebraba tu familia cada año? ¿Cómo las celebrabas?

¿Hay alguna fiesta de cumpleaños infantil en particular u otra celebración que destaque en tu memoria? ¿Por qué destaca?

¿Consideras que tu infancia fue feliz? ¿Por qué o por qué no?

¿Si pudieses hablar contigo misma cuándo eras una adolescente, que consejo te darías?

notas

•••

intereses y actividades

¿Siempre tuviste una visión clara de lo que querías hacer en la vida? ¿Tus intereses profesionales estaban influenciados por alguien o algo en particular o te dejaste llevar por las cosas?

¿Asististe a la universidad, escuela de oficios o te uniste al ejército? Si es así, ¿cuándo y dónde?

¿Cuáles fueron los aspectos más destacados de tu experiencia posterior a la escuela secundaria?

¿Te arrepientes de tu experiencia posterior a la escuela secundaria? ¿Hubieras hecho algo diferentemente?

¿Tienes alguna idea general acerca de educación, entrenamiento o servicio militar que pueda ser útil para las generaciones futuras?

¿Cuál fue el primer trabajo que tuviste en el que ganaste un sueldo? ¿Cuántos años tenías? ¿Te gustó?

¿Cómo conseguiste tu primer trabajo?

Describe qué trabajos has tenido desde la escuela secundaria.

¿Cuál es el mejor trabajo que has tenido? ¿Por qué disfrutabas de él?

¿Cuál fue el primer lugar donde viviste cuando dejaste la casa de tus padres, y viviste allí con otras personas?

¿Qué edad tenías cuando empezaste a maquillarte? ¿Quién te enseñó a maquillarte?

¿Seguías la moda del momento? ¿Qué tendencias de moda de ropa, cabello y maquillaje son más memorables para ti?

¿Qué mascotas has tenido en tu vida? ¿Cuáles eran sus nombres y cuáles son tus mejores recuerdos de ellas?

¿Qué hobbies has tenido o tienes? ¿Cuándo empezaste y cómo te metiste en ellos?

Describe las actividades que te gusta hacer o que te traen alegría.

notas

•••

árbol genealógico

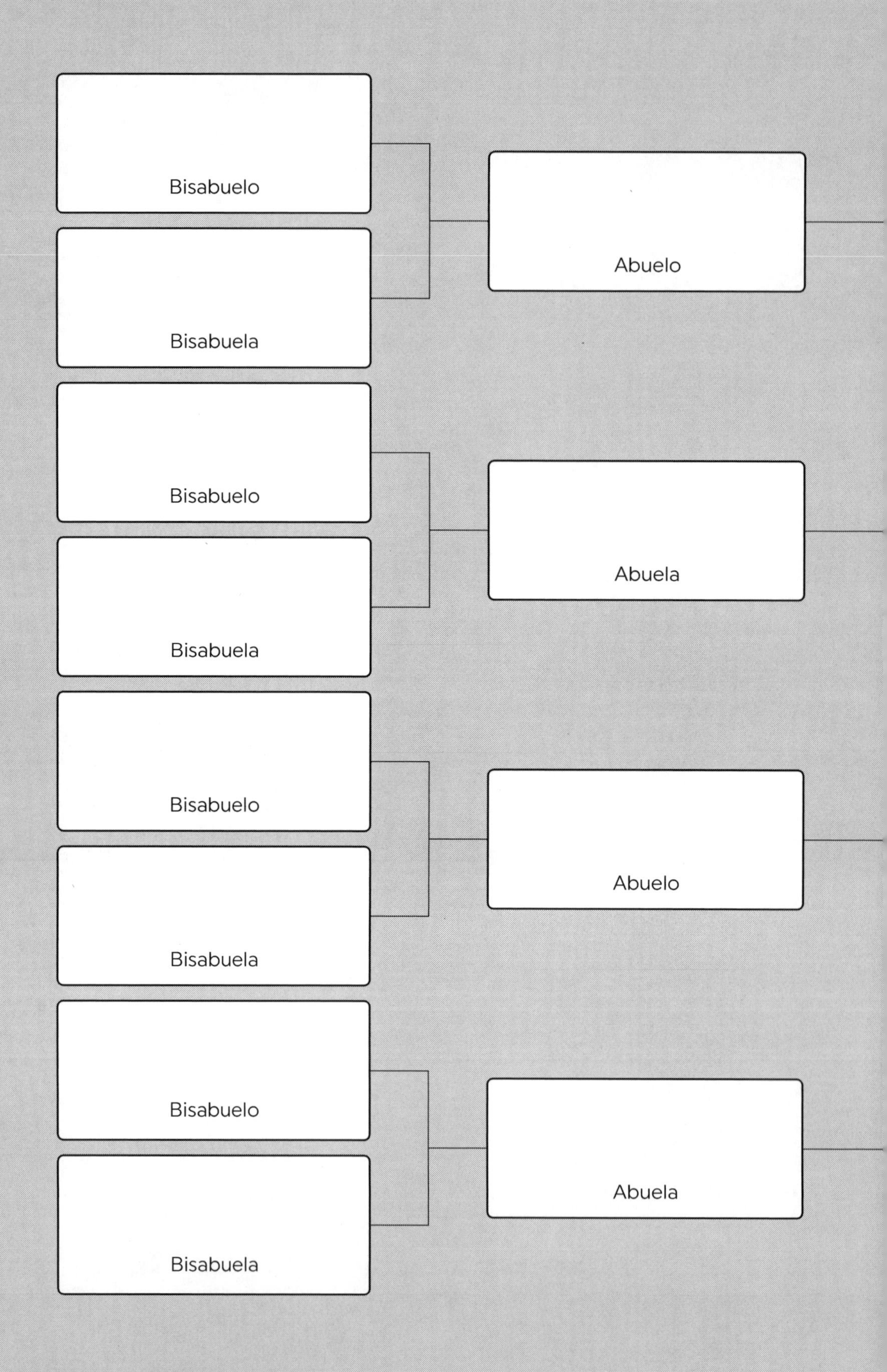
Bisabuelo
Bisabuela
Abuelo
Bisabuelo
Bisabuela
Abuela
Bisabuelo
Bisabuela
Abuelo
Bisabuelo
Bisabuela
Abuela

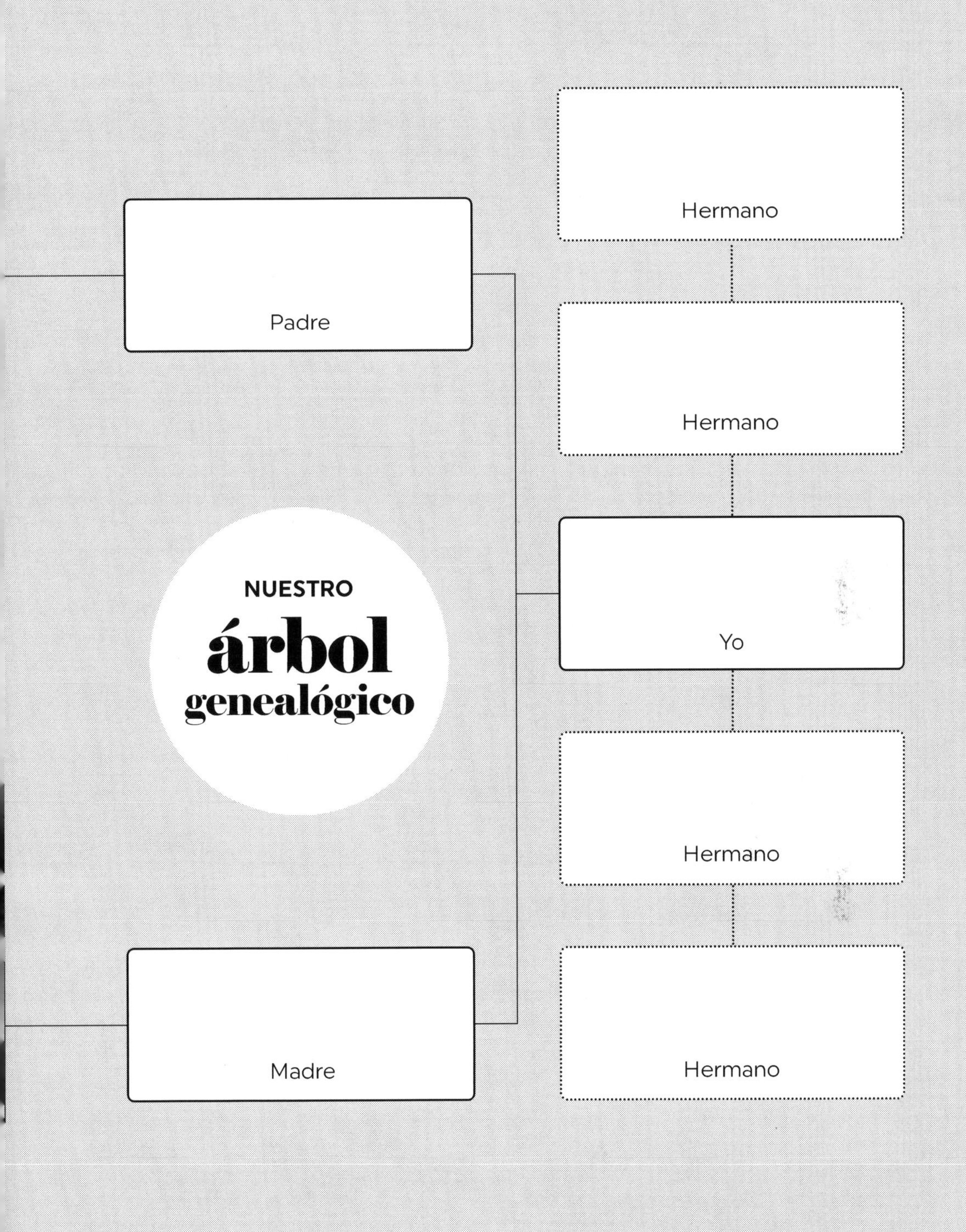
Hermano
Padre
Hermano
NUESTRO
árbol
genealógico
Yo
Hermano
Hermano
Madre

notas

familia, amigos y relaciones

mis padres

NOMBRE	
APELLIDOS	
FECHA DE NACIMIENTO	LUGAR DE NACIMIENTO
COLOR DE LOS OJOS	COLOR DE PELO
OCUPACIÓN	

NOMBRE	
APELLIDOS	
FECHA DE NACIMIENTO	LUGAR DE NACIMIENTO
COLOR DE LOS OJOS	COLOR DE PELO
OCUPACIÓN	

Describe tu relación con cada uno de tus padres (o cualquiera de ellos) mientras crecías. ¿Cómo fue? ¿Cómo cambió tu relación cuando te convertiste en adulta?

¿Qué fue al menos una cosa importante que aprendiste
a hacer o apreciar de cada uno de tus padres?

mis hermanos

NOMBRE	
APELLIDOS	
FECHA DE NACIMIENTO	LUGAR DE NACIMIENTO
COLOR DE LOS OJOS	COLOR DE PELO
OCUPACIÓN	

NOMBRE	
APELLIDOS	
FECHA DE NACIMIENTO	LUGAR DE NACIMIENTO
COLOR DE LOS OJOS	COLOR DE PELO
OCUPACIÓN	

NOMBRE	
APELLIDOS	
FECHA DE NACIMIENTO	LUGAR DE NACIMIENTO
COLOR DE LOS OJOS	COLOR DE PELO
OCUPACIÓN	

NOMBRE	
APELLIDOS	
FECHA DE NACIMIENTO	LUGAR DE NACIMIENTO
COLOR DE LOS OJOS	COLOR DE PELO
OCUPACIÓN	

¿Qué rasgos compartes con tus hermanos, ya sean físicos o de carácter? ¿De qué manera(s) difieren estos rasgos?

¿Te llevabas bien con tus hermanos cuando eras niña?

¿De qué manera ha cambiado tu relación con tu(s) hermano(s) a lo largo de los años?

mis abuelos

NOMBRE	
APELLIDOS	
FECHA DE NACIMIENTO	LUGAR DE NACIMIENTO
COLOR DE LOS OJOS	COLOR DE PELO
OCUPACIÓN	

NOMBRE	
APELLIDOS	
FECHA DE NACIMIENTO	LUGAR DE NACIMIENTO
COLOR DE LOS OJOS	COLOR DE PELO
OCUPACIÓN	

NOMBRE	
APELLIDOS	
FECHA DE NACIMIENTO	LUGAR DE NACIMIENTO
COLOR DE LOS OJOS	COLOR DE PELO
OCUPACIÓN	

NOMBRE	
APELLIDOS	
FECHA DE NACIMIENTO	LUGAR DE NACIMIENTO
COLOR DE LOS OJOS	COLOR DE PELO
OCUPACIÓN	

¿Qué rasgos de carácter o rasgos de personalidad similares o diferentes viste en tus abuelos en comparación con tus padres?

¿Cómo de cerca estás o estuviste de tus abuelos? ¿Qué recuerdos o historias de ellos puedes compartir?

¿Cuál es una lección importante que te enseñaron tus abuelos?

mis hijos

NOMBRE	
APELLIDOS	
FECHA DE NACIMIENTO	LUGAR DE NACIMIENTO
COLOR DE LOS OJOS	COLOR DE PELO
OCUPACIÓN	

NOMBRE	
APELLIDOS	
FECHA DE NACIMIENTO	LUGAR DE NACIMIENTO
COLOR DE LOS OJOS	COLOR DE PELO
OCUPACIÓN	

NOMBRE	
APELLIDOS	
FECHA DE NACIMIENTO	LUGAR DE NACIMIENTO
COLOR DE LOS OJOS	COLOR DE PELO
OCUPACIÓN	

NOMBRE	
APELLIDOS	
FECHA DE NACIMIENTO	LUGAR DE NACIMIENTO
COLOR DE LOS OJOS	COLOR DE PELO
OCUPACIÓN	

¿Qué rasgos de carácter te gustan de cada hijo?

¿Cuál es tu sueño para tus nietos y bisnietos?

familia

¿Con quién tienes más en común en toda tu familia?
¿Con quién tienes el vínculo más estrecho?

¿Hubo alguna vez discusiones serias o peleas entre los miembros de tu familia? ¿Qué las causó, y fueron resueltas en algún momento?

¿Cuáles son algunos datos interesantes sobre tu familia? Por ejemplo, personas famosas en tu árbol genealógico, linaje familiar, el origen del apellido, antigüedades o reliquias familiares, etc.

amigos

¿Quiénes son (o han sido) tus amigos más cercanos y queridos en tu vida, y qué historias tienes de estas amistades?

¿Quién es tu amigo más antiguo y cuántos años habéis sido amigos?

Describe un momento en que una amistad te decepcionó
o te causó dolor. ¿Hubo una resolución?

¿A quién acudes (o acudiste) siempre en busca de consejo,
y cuál es un buen ejemplo de esos consejos?

relaciones

¿Qué edad tenías cuando tuviste tu primera cita?
¿Con quién fue y adónde fuiste?

¿Tienes alguna historia personal de amor que quieras compartir? Por ejemplo, ¿tu primer enamoramiento o una historia de ruptura?

¿Cómo y cuándo conociste a tu pareja actual?

¿Qué cualidades te gustan más de tu pareja?

¿Tuviste una celebración de bodas? Describe la propuesta, el día de la boda y los recuerdos favoritos de tu boda.

Según tus experiencias, ¿qué consejo sobre relaciones te gustaría transmitir a las generaciones futuras?

notas

notas

maternidad

Describe cuándo supiste por primera vez que ibas a ser mamá. ¿Cómo te sentiste?

Preocuparse es el trabajo de una madre, pero ¿qué aspectos de la maternidad crearon las mayores preocupaciones para ti y cómo cambió esto a lo largo de los años?

¿Cómo influyó tu educación en la forma en que criaste a tus hijos?

¿Contabas con tener la cantidad de hijos que tuviste? ¿Cuál era el tamaño típico de una familia en el momento de tu propia planificación familiar?

¿En qué formas crees que el mundo de hoy es un mejor lugar para tener hijos, comparado con cuándo tú eras pequeña? ¿En qué formas es más difícil ser madre hoy que antes?

¿Qué edad tenías cuando supiste que ibas a ser abuela? ¿Puedes recordar cómo te sentiste después de escuchar la noticia?

¿Qué es lo mejor de ser abuela? ¿Hay algún aspecto de ser abuela que sea diferente de lo que esperabas?

¿En qué manera has tratado a tus nietos de manera diferente, comparado con como trataste a tus propios hijos a la misma edad?

En retrospectiva, ¿qué consejo te darías a ti misma hoy cuándo eras nueva mamá y como madre?

notas

notas

•••

creencias y valores

¿Cuáles eran las creencias y afiliaciones espirituales o religiosas de tus padres? ¿Cambiaron con el tiempo? ¿Qué influencia han tenido estas en tu vida? ¿Tienes las mismas creencias?

¿Cómo han evolucionado tus creencias y afiliaciones espirituales o religiosas durante tu vida?

¿Qué te hace sentir más patriótica (o no) sobre tu tierra natal?

¿Qué influencias han dado forma a tus creencias políticas,
has tenido siempre las mismas creencias?

¿Creciste en un ambiente de roles de género tradicionales? ¿Puedes recordar cómo te sentías acerca de esto? ¿Tienes las mismas opiniones hoy en día?

¿Hay alguna forma en que los cambios en tu visión del mundo hayan cambiado la forma en que vives tu vida? (Por ejemplo, reciclar, boicotear ciertos productos, abandonar ciertos hábitos, etc.)

¿Donas a alguna organización benéfica? Si es así, ¿por qué estas causas son importantes para ti?

¿Cuáles consideras que son tus valores fundamentales en la vida? ¿Qué valores deseas transmitir a las generaciones futuras de tu familia?

notas

reflexiones

¿Cómo te describes?

¿Hay algo en el historial médico de tu familia que tus hijos o nietos deban saber?

De todos los lugares en los que has vivido, ¿cuál recuerdas con más cariño? ¿Por qué es esto?

¿Tienes una edad o etapa favorita en tu vida?

¿Quién ha sido la persona más influyente en tu vida?
¿De qué manera te han influenciado?

Mirando hacia atrás, ¿a qué desearías haber dedicado más tiempo?

¿Cuál es tu definición personal de una vida bien vivida?

Describe uno de los mejores días que puedas recordar.

Excluyendo a tus hijos, ¿cuál consideras que ha sido
tu mayor logro en la vida hasta ahora?

¿Tienes algún remordimiento en la vida? ¿Aún esperas poder corregirlos?

¿Algún evento o suceso que al principio veías como un problema resultó ser una bendición inesperada?

¿Ha sucedido algo en tu vida (personal o global) por lo que esperas que las generaciones futuras nunca pasen?

¿Cuál es uno de los momentos más estresantes que has tenido que soportar en tu vida y cómo lo superaste?

Describe un momento aterrador en tu vida. ¿Cómo lo superaste y qué aprendiste de la experiencia?

¿Hay algo que hayas experimentado en tu vida por lo que crees que todos deberían pasar? Si es así, ¿qué y por qué motivo?

¿Cuáles son algunas de las experiencias más increíbles que te han sucedido?

¿Cuál es un rasgo que tienes que te gustaría mejorar?

¿Qué secretos crees que ayudan a crear una vida plena?

¿Cuál es el mejor consejo que has recibido?

¿Qué te gustaría que tus bisnietos y las futuras generaciones supieran de ti?

Basándote en tus experiencias, ¿qué lecciones de vida o consejos te gustaría compartir con los demás?

notas

preguntas cortas

primeros momentos

¿Cuál fue tu primera palabra?

¿Qué edad tenías cuando diste tu primer beso?

¿Cuándo fue la primera vez que te enamoraste?

¿Cuál fue la primera película que viste en un cine?

¿A qué edad probaste el alcohol por primera vez?

¿Qué edad tenías cuando condujiste por primera vez?

¿Qué marca y modelo era tu primer coche? ¿Le pusiste nombre?

¿Cuál fue el primer disco (o casete, CD u otro formato) que compraste?

¿Qué artista/banda tocaba en el primer concierto al que fuiste?

¿A dónde fuiste en tus primeras vacaciones sin tus padres?

¿A dónde fuiste para tu primera entrevista de trabajo?

¿Quién fue la primera persona fuera de la familia para la que cocinaste?

¿Cuándo y dónde fue tu primer choque o accidente de coche?

¿A dónde fuiste en tu primer vuelo en avión?

¿Cuál es el primer país que visitaste fuera de tu país de origen?

mis mejores cinco...

Los lugares más memorables que has visitado

1.

2.

3.

4.

5.

Mejores atributos

1.

2.

3.

4.

5.

Cantantes, bandas o músicos a los que más escuchabas

1.

2.

3.

4.

5.

Consejos que te darías a ti misma a los 16 años

1.

2.

3.

4.

5.

Personas famosas (vivas o muertas) que más te gustaría conocer

1.
2.
3.
4.
5.

Sabores de helado favoritos

1.
2.
3.
4.
5.

Cosas que harías si ganases miles de millones en la lotería

1.
2.
3.
4.
5.

Los mejores regalos que recuerdas haber recibido

1.
2.
3.
4.
5.

mis favoritos...

COLOR	FLOR
COMIDA DURANTE LAS PELÍCULAS	LIBRO
BEBIDA CALIENTE	DEPORTE PARA JUGAR Y/O VER
ESTACIÓN DEL AÑO	JUEGO DE MESA O CARTAS
MANERA DE PASAR UN DOMINGO	CUENTO PARA DORMIR DE NIÑA
GOLOSINA O CHOCOLATE	RESTAURANTE Y PLATO DE SU MENÚ
ACTOR O ACTRIZ	PELÍCULA
FORMA DE DESCANSAR DESPUÉS DE UN DÍA DURO	CÓCTEL O BEBIDA NO ALCOHÓLICA
CIUDAD QUE HAS VISITADO	CELEBRACIÓN ANUAL, EXCLUYENDO TU CUMPLEAÑOS
POSTRE O PASTEL	OLOR

preguntas rápidas

¿Tienes un número de la suerte? Si es así, ¿cuál es?

¿Qué tipo de clima te gusta más?

¿Tienes un pasaporte válido?

¿Qué comida te gusta que te preparen cuando estás enferma?

¿Eres una persona mañanera o te desenvuelves mejor por la tarde?

¿Compras billetes de lotería? Si es así, ¿siempre eliges los mismos números?

Si pudieras chasquear los dedos y convertirte en una experta en algo, ¿qué te gustaría que fuera?

¿Quién o qué siempre puede hacerte reír?

Si te concedieran tres deseos, ¿cuáles serían?

¿De qué placeres simples de la vida disfrutas realmente?

¿Alguna vez has ganado algún premio en algún concurso?

¿Qué es lo más caro o extravagante que has comprado?

¿A dónde fuiste en el viaje por carretera más largo que hayas hecho?

¿Qué es lo más lejos que has viajado?

¿Eres supersticiosa?

¿Cuál es uno de tus peores hábitos?

¿Prefieres ser espontánea o pensar las cosas primero?

¿Alguna vez te has roto un hueso?

¿Qué es lo que más dejas para luego?

¿Crees en el destino?

¿Qué en la vida consideras que es una pérdida de dinero?

¿Qué es lo más romántico que alguien ha hecho por ti?

¿Tienes un proverbio favorito o una cita inspiradora que te gusta seguir?

¿Qué hace que un cumpleaños sea especial para ti?

¿Qué personas famosas o importantes has conocido en la vida real y cómo las conociste?

¿Cuáles son tus vacaciones ideales?

Describe la casa de tus sueños. ¿Dónde está? ¿Cómo es de grande? ¿Qué características tiene?

Haz una lista de las ciudades en las que has vivido
a lo largo de tu vida hasta ahora.

Enumera los diez lugares principales en tu lista de deseos que visitarías
si los recursos (dinero y tiempo) no fueran una preocupación.

notas para los seres queridos

notas para los seres queridos

ESTE ES UN ESPACIO PARA ESCRIBIR NOTAS A TUS SERES QUERIDOS

notas para los seres queridos

notas para los seres queridos

notas para los seres queridos

notas para los seres queridos

Sobre nosotros

Somos un grupo extraño de autores divertidos, extravagantes y creativos a los que les encanta escribir preguntas que invitan a la reflexión.

Todos hemos tenido situaciones de silencio incómodas, y todos recurrimos a charlas superficiales y triviales para pasar el tiempo.

Los autores en "Questions About Me" tenemos la misión de poner fin a las conversaciones aburridas. Creamos la serie "Questions About Me" para animar las conversaciones y ayudar a conocer mejor a las personas, incluyendo a uno mismo.

La serie "Cuéntame la historia de tu vida" ayuda a capturar las experiencias, historias de la vida y reflexiones en un recuerdo atemporal para compartir con los hijos, seres queridos y generaciones futuras.

Deja el teléfono, apaga el televisor y usa nuestros libros para desbloquear infinitas posibilidades de conversación, desarrollar relaciones más profundas y crear recuerdos preciosos.

www.questionsaboutme.es

Q.

También hechos por
"Questions About Me"

SERIE CUÉNTAME LA HISTORIA DE TU VIDA

Cuéntame la historia de tu vida, mamá

Cuéntame la historia de tu vida, papá

Cuéntame la historia de tu vida, abuela

Cuéntame la historia de tu vida, abuelo

Visita
www.questionsaboutme.es
para ver más títulos